This edition published by Parragon Books Ltd in 2015 and distributed by

Parragon Inc.
440 Park Avenue South, 13th Floor
New York, NY 10016, USA
www.parragon.com

Copyright © Parragon Books Ltd 2012-2015

Textos y adaptaciones: Rachel Elliot, Anne Marie Ryan, Steve Smallman, Ronne Randall
Ilustraciones: Nicola Evans, Jaime Temairik, Natalie y Tamsin Hinrichsen, Russell Julian
Edición: Rebecca Wilson
Ilustración de la cubierta: Victoria Assanelli

Traducción y maquetación: Delivering iBooks & Design, Barcelona

La editorial ha intentado por todos los medios reconocer el trabajo de todos los colaboradores
de este libro. Se ruega a aquellas personas a las que eventualmente se hubiera podido omitir
se pongan en contacto con la editorial para rectificar en futuras ediciones.

ISBN 978-1-4748-0818-7

Impreso en China/Printed in China

Colección de
# cuentos para niños de

# años

PaRragon

Bath • New York • Cologne • Melbourne • Delhi
Hong Kong • Shenzhen • Singapore • Amsterdam

# Índice

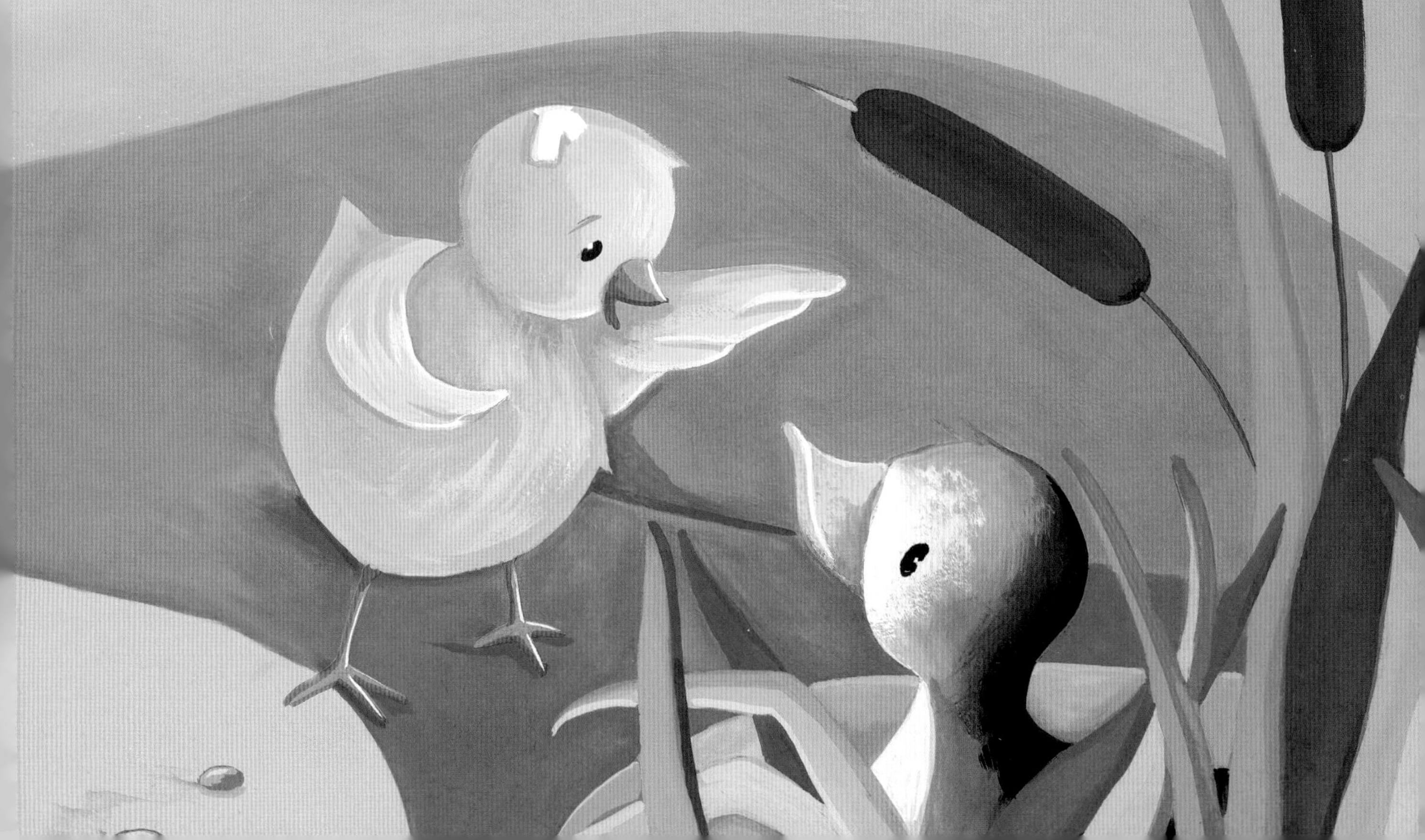

# El pollito Benito

Un día, el pollito Benito estaba paseando
por el pueblo cuando, de repente...

¡TOC!

¡Le cayó una bellota en la cabeza!

—¡Ay! —exclamó el pollito Benito frotándose la cabeza—. ¡El cielo se está cayendo! ¡Tengo que avisar al rey enseguida!

Y el pollito Benito se fue decidido a advertir al rey.
Por el camino se encontró con la gallina Benjamina.

—¿Adónde vas tan deprisa?

—le preguntó la gallina Benjamina.

—¡El cielo se está cayendo y el
rey lo tiene que saber! —le contestó
el pollito Benito.

—Te acompaño —dijo la gallina Benjamina.

Y el pollito Benito y la gallina Benjamina
se fueron decididos a advertir al rey. Por el camino
se encontraron con el gallo Pelayo.

—¿Adónde vais tan deprisa?

—les preguntó el gallo Pelayo.
    —¡El cielo se está cayendo y el rey lo tiene
que saber! —le contestó el pollito Benito.
    —Os acompaño —dijo el gallo Pelayo.

Y el gallo Pelayo, la gallina
Benjamina y el pollito Benito se
fueron decididos a advertir al rey.
Por el camino se encontraron con
el patito Federico.

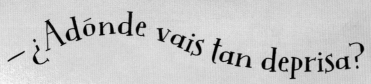

# —¿Adónde vais tan deprisa?

—les preguntó el patito Federico.

—¡El cielo se está cayendo y el rey lo tiene que saber! —le contestó el pollito Benito.

—Os acompaño —dijo el patito Federico.

Y el patito Federico,

el gallo Pelayo,

la gallina Benjamina

y el pollito Benito

se fueron decididos a advertir al rey. Por el camino se encontraron con el pato Chato.

—¿Adónde vais tan deprisa?

—les preguntó el pato Chato.

—¡El cielo se
está cayendo y el
rey lo tiene que saber!
—le contestó el pollito
Benito.

—Os acompaño —dijo
el pato Chato.

17

Y el pato Chato, el patito Federico, el gallo Pelayo, la gallina Benjamina y el pollito Benito se fueron decididos a advertir al rey. Por el camino se encontraron con la oca Bicoca.

—¿Adónde vais tan deprisa?

—les preguntó la oca Bicoca.

—¡El cielo se está cayendo y el rey lo tiene
que saber! —le contestó el pollito Benito.

—Os acompaño —dijo
la oca Bicoca.

Y la oca Bicoca, el pato Chato, el patito Federico, el gallo Pelayo, la gallina Benjamina y el pollito Benito se fueron decididos a advertir al rey. Por el camino se encontraron con el pavo Gustavo.

— ¿Adónde vais tan deprisa?

—les preguntó el pavo Gustavo.

—¡El cielo se está cayendo y el rey lo tiene que saber! —le contestó el pollito Benito.

—Os acompaño —dijo el pavo Gustavo.

Y el pavo Gustavo, la oca Bicoca, el pato
Chato, el patito Federico, el gallo Pelayo,
la gallina Benjamina y el pollito Benito se
fueron decididos a advertir al rey. Por el camino
se encontraron con el zorro Chamorro.

—¡Buenos días, queridos amigos!

—saludó el zorro Chamorro—.
¿Adónde vais todos juntos
en esta bonita mañana?

—¡El cielo se está cayendo y el rey lo tiene que saber!
—le contestó el pollito Benito.

—¿De veras? Vaya, qué interesante. ¿Habéis estado alguna vez en el palacio del rey? —les preguntó el zorro Chamorro.

—No —respondió el pollito Benito. Los otros negaron con la cabeza.

—Y entonces, ¿cómo pensáis encontrar el camino? —preguntó el zorro Chamorro.

—No lo sé, no se me había ocurrido —dijo el pollito Benito.

—Yo os ayudaré —dijo el zorro Chamorro—. Conozco muy bien el camino que lleva al palacio del rey. Vosotros seguidme y llegaremos antes de que os deis cuenta.

Y el pollito Benito, la gallina Benjamina, el gallo Pelayo, el patito Federico, el pato Chato, la oca Bicoca y el pavo Gustavo siguieron decididos al zorro Chamorro.

Tomaron un caminito que se adentraba en el bosque.

Todos iban detrás del zorro Chamorro, que cada vez
se adentraba…

… más y más en el bosque…

28

¡... directos a la guarida del zorro Chamorro!

Allí les esperaba toda la familia del zorro Chamorro,
¡dispuesta a zamparse al pollito Benito, la gallina Benjamina,
el gallo Pelayo, el patito Federico, el pato Chato, la oca
Bicoca y el pavo Gustavo!

Al ver que habían caído en una trampa, ¡el pavo Gustavo, la oca Bicoca, el pato Chato, el patito Federico, el gallo Pelayo, la gallina Benjamina y el pollito Benito echaron a correr batiendo las alas y se fueron lo más rápido que pudieron!

Y el rey nunca llegó a saber que el cielo se estaba cayendo.

# Trol, dos, tres, cuatro...

Los troles son holgazanes
y se hurgan las narices,
juguetean con sus pies
y se duermen tan felices.

Les gusta asustar cabras
gritando un fuerte

«¡BU!»,

menos a un trol solitario
llamado Bugalú.

Por más que lo intentaban, nadie lo entendía.
¿Por qué Bugalú solo y triste se sentía?
«Quisiera un amigo», un día él pensó,
¡y entonces ALGO rojo volando pasó!

Corriendo deprisa lo quería atrapar,
pero llegó a la señal de

¡LOS
TROLES
NO PUEDEN
PASAR!

Un segundo trol
lo vio y decidió:
—¡Donde vaya él,
iré yo también!

Atravesaron unas nubes que CERRABAN EL PASO,
y se encontraron a un HUMANO con cara de espanto.
El humano gritó «¡TROLES!», totalmente aterrado,
y cuando vio un tercer trol, huyó horrorizado.

Luego un cuarto trol los siguió,
y en fila india el grupo avanzó.

Sin que nadie ni «¡Bu!» pudiera decir,
entre las nubes multicolores
empezaron a surgir
más troles a borbotones.

Troles fétidos y peludos avanzaban,
mientras todos juntos entonaban
la canción que más les gustaba...

"Trol, dos, tres, cuatro...

Somos troles que caminamos,

gruñimos y roncamos.

Trol, dos, tres, cuatro...

¡No sabemos cuántos desfilamos,

porque solo contamos hasta

c
u
a
t
r
o
o
o
o
o
o
o
o!

¡Los humanos tenían miedo
porque los troles eran horrendos,

# desaliñados y apestosos, peludos y horrorosos!

Al pasar por un parque, Bugalú se escabulló.
¡Abrió la puerta de acceso y a jugar corrió!

—Soy Jake —se presentó un niño—, ¿quién eres tú?
El pequeño trol sonrió y le dijo:

## —¡Soy Bugalú!

Y Bugalú le preguntó:
—¿Jugamos en eso retorcido?
—Vale —Jake contestó—,
¡eso es un tobogán muy divertido!

—Bugalú, ¿quieres ser mi mejor amigo?

—¡Sííí! —contestó—. ¿Quieres ser también el mío?

Los humanos y los troles se acercaron a ver
que troles y humanos grandes amigos podían ser.

Ahora nada separa los troles de los humanos:
las señales quitaron y las nubes alejaron.
Juntos juegan con globos, juguetes y barcas,
y los troles ya no asustan...

¡... ni siquiera

a las cabras!

# Rapónchigo

Éranse una vez un hombre y su esposa que vivían en una cabaña cerca de una torre muy alta. Eran muy pobres, pero también muy felices. Al otro lado de la tapia de su jardín había un huerto con zanahorias, coles y tomates muy apetitosos. Sin embargo, nunca habían visto a nadie por allí.

—No es justo, nosotros no tenemos nada para comer y todas esas hortalizas se echarán a perder —se quejó el hombre.

49

Ni corto ni perezoso, saltó la tapia y llenó la cesta que llevaba. Pero, cuando estaba arrancando una zanahoria, oyó a una mujer gritar enfadada.

—¿Quién se está llevando MIS hortalizas?

¡Era la vieja bruja que vigilaba la torre! La bruja
amenazó con hechizar al hombre y a su esposa.

—¡Por favor, no nos haga daño! —suplicó el hombre—.
¡Mi esposa va a tener un bebé!

—¡Si quieres que te deje ir —exclamó la bruja—, tendrás
que prometerme que me daréis a vuestro bebé en cuanto
nazca! Lo trataré como si fuera mío.

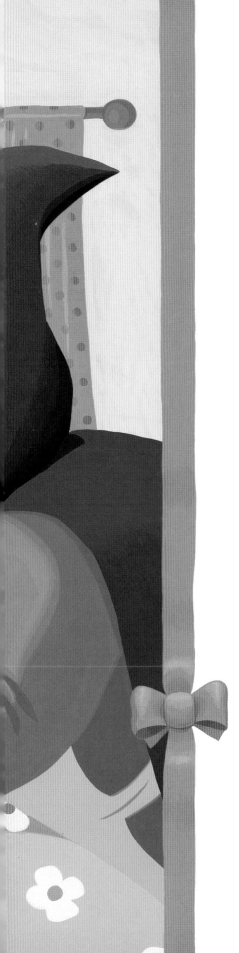

El hombre estaba tan asustado que le prometió a la bruja que se lo darían.

Al cabo de un tiempo, la mujer tuvo una niña, y al día siguiente la bruja se la llevó.

La bruja le puso a la niña el nombre de Rapónchigo.

Rapónchigo se convirtió en una joven de gran belleza con una larga cabellera rubia.

La bruja temía que alguien se la pudiera llevar, por lo que la encerró en lo alto de la torre.

Se pasaba los días mirando por la ventana el bonito bosque que tenía delante mientras se peinaba la cabellera dorada y cantaba canciones tristes.

«A ver si me suelta de una vez esa bruja malvada... ¡Hay tantas cosas por ver fuera de aquí!».

Un día, un príncipe pasó
cabalgando cerca de la torre.
Oyó cantar a Rapónchigo y se
quedó prendado de su voz.

54

El príncipe se escondió detrás de un arbusto para escucharla. Al cabo de un rato, la bruja llegó al pie de la torre y gritó:

—¡Rapónchigo, Rapónchigo, deja caer tu melena!

La hermosa joven se asomó a la ventana y dejó caer su melena rubia para que la bruja trepara por ella.

Al día siguiente, el príncipe vio a la bruja deslizarse por la melena de Rapónchigo. Cuando se alejó lo suficiente, gritó:

—¡Rapónchigo, Rapónchigo, deja caer tu melena!

En cuanto Rapónchigo
dejó caer sus cabellos
dorados, el príncipe trepó
por ellos.

59

Al ver al príncipe, Rapónchigo se asustó un poco, pero enseguida se hicieron amigos.

A Rapónchigo le encantaba
escuchar las historias que
le contaba el príncipe.

Le explicaba qué se sentía
al correr descalzo por la
hierba o nadar en el mar
azul.

Ella nunca había podido
hacer nada de todo eso.

—Te ayudaré a salir de
la torre —le prometió el
príncipe.

Al día siguiente, y durante muchos otros, el príncipe fue a ver a Rapónchigo sin que la bruja se enterara.

Día tras día, gritaba:

—¡Rapónchigo, Rapónchigo, deja caer tu melena!

Y día tras día le llevaba hilo de seda para que tejiera una escalera tan larga que le permitiera bajar de la torre y huir.

Día y noche Rapónchigo
tejía en secreto su escalera,
hasta que fue tan larga que casi
llegaba a la base de la torre.

Un día, a Rapónchigo se le escapó hablar de su secreto:
—¡Pesas mucho más que el príncipe!
La bruja se puso furiosa.

Agarró las tijeras del costurero de Rapónchigo y empezó a destrozar la escalera.

Después, le cortó la larga melena rubia y lanzó un conjuro para desterrarla a lo más profundo del bosque.

65

La bruja, que seguía furiosa, esperó hasta que oyó al príncipe gritar:

—¡Rapónchigo, Rapónchigo, deja caer tu melena!

Dejó caer la melena rubia de Rapónchigo y el príncipe, confiado, trepó por ella como todos los días.

—¡Vaya, vaya! —exclamó la bruja cuando el príncipe llegó arriba—. Si vienes a buscar a Rapónchigo, mala suerte; se ha ido para siempre y nunca la volverás a ver.

Entonces la bruja le dio tal empujón al príncipe, que...

c a y ó

de la torre y fue a parar a un arbusto espinoso. El arbusto amortiguó el golpe, pero las espinas se le clavaron en los ojos y el príncipe se quedó ciego.

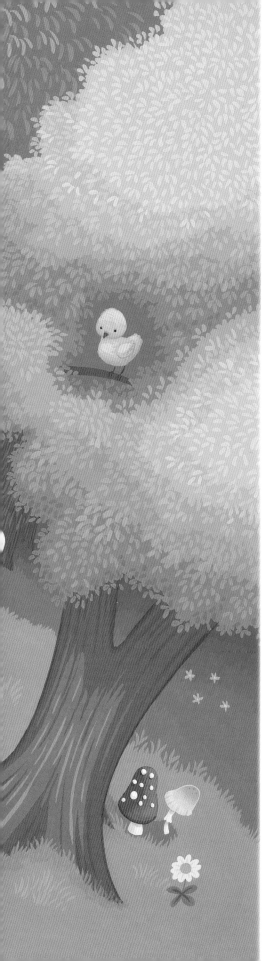

Durante meses, el príncipe anduvo sin rumbo por el bosque.

Hasta que un día oyó una canción triste que venía de lo más profundo del bosque.

—De árbol en árbol me dejo llevar, esperando a mi amado volver a besar.

—¡Rapónchigo! ¡Rapónchigo! —gritó el príncipe—. ¿Eres tú?

Rapónchigo corrió entre la maleza
y abrazó al príncipe.

Las lágrimas de alegría de la joven mojaron los ojos
del príncipe, que milagrosamente recuperó la vista. Ella
tenía el pelo corto y estaba más guapa que nunca.

Rapónchigo y el príncipe nunca volvieron a saber nada
de la bruja, y viajaron por todo el mundo para ver todo
aquello que ella siempre había deseado ver. ¡Y vivieron
felices para siempre!

# ¿Qué me pongo, querido osito?

Prepárate, querido osito,
que saldremos a jugar,
a columpiarnos y a deslizarnos,
a correr y a saltar.

Querido osito de peluche,
primero me he de vestir.
¡Necesito mis calcetines,
pero uno lo perdí!

He buscado en mi cajón
y también en el lavadero.
Pero solo hay ese calcetín
tirado por el suelo.

¡Desapareció, se perdió!
¿Pero dónde se metió?
Quizás mi querido osito
sepa quién lo escondió.

¿Pero qué es lo que lleva
mi patito tontín?
¡Eso no es un gorro,
sino mi calcetín!

¡Gracias, mi querido osito,
eres el mejor del mundo!
Pero aún me falta algo,
¿me esperas un segundo?

¿Y si me da frío
cuando baje por el tobogán?
Para poder jugar fuera
me tengo que abrigar.
Me pondré el pantalón verde,
el que me gusta más.

¿Dónde está mi suéter rojo?
¡Estaba ahí, qué curioso!

Debo encontrar el suéter
antes de ir a jugar.
¡Estaba ahí colgado,
alguien se lo debió de llevar!

¡Desapareció, se perdió!
¿Pero dónde se metió?
Quizás mi querido osito
sepa quién lo escondió.

¡Qué sorpresa,
es la elefanta Luna!
Mi suéter es el delantal
que lleva en su cintura.

¡Gracias, mi querido osito,
eres el mejor del mundo!
Pero aún me falta algo,
¿me esperas un segundo?

¿Y si empieza a llover
cuando quiera columpiarme?
Voy a buscar algo
para no mojarme.

Me pondré mis botas,
sentado en la escalera...

¿Dónde está mi abrigo?
¡La percha está desierta!

78

Mi abrigo debería
colgar en su percha.
Pero no está,
¿dónde se encuentra?

¡Desapareció, se perdió!
¿Pero dónde se metió?
Quizás mi querido osito
sepa quién lo escondió.

Lo tomó prestado
mi oveja Marta.
¡Es el mar azul
de debajo de su barca!

¡Gracias, mi querido osito,
eres el mejor del mundo!
Pero aún me falta algo,
¿me esperas un segundo?

¿Y si el viento
las hojas se quiere llevar?
¡Me abrigaré aún más
antes de salir a jugar!

Me pongo los guantes,
y luego mi gorrito...

¿Dónde está mi bufanda,
pero dónde se ha metido?

¡Mi bufanda roja y blanca
tiene que estar por aquí!
¿Por qué no está?
¡Ayer mismo la vi!

¡Desapareció, se perdió!
¿Pero dónde se metió?
Quizás mi querido osito
sepa quién la escondió.

¡Ahora mi bufanda
es una cuerda de saltar!
La agarra el conejito,
que ama brincar.

Querido osito de peluche,
¿ahora sabes qué va a pasar?
¡Como ya estamos listos,
saldremos a JUGAR!

# Cinco patitos

Cinco patitos fueron a nadar,
cruzando las colinas y hasta más allá.
Mamá Pata dijo: «Cuac, cuac, cuac, cuac, cuac»,
pero solo cuatro patos pudieron regresar.


*(Repite la canción hasta que solo quede un patito).*

Un patito fue a nadar,
cruzando las colinas y hasta más allá.
Mamá Pata dijo: «Cuac, cuac, cuac, cuac, cuac»,
y los cinco patitos pudieron regresar.

# Uno, dos...

**Uno, dos,** me pongo los zapatos
y digo adiós.

**Tres, cuatro,** en la puerta
está Paco.

**Cinco, seis,** junto varas
para el rey.

**Siete, ocho,** en hilera las pongo.

**Nueve, diez,** la gallina del juez.

Once, doce,

    mientras cava, tose.

Trece, catorce,

    que el día usted goce.

Quince, dieciséis,

    haz la cena para el rey.

Diecisiete, dieciocho,

    preparamos un bizcocho.

Diecinueve, veinte,

    ¡a comer que aún está caliente!

# Cinco monitos

Cinco monitos saltaban sobre un sillón,
uno se cayó y se hizo un chichón.
Mamá llamó al doctor y él les dio un sermón:
«¡No más monitos saltando sobre el sillón!».

Cuatro monitos saltaban sobre un sillón,
uno se cayó y se hizo un chichón.
Mamá llamó al doctor y él les dio un sermón:
«¡No más monitos saltando sobre el sillón!».

*(Repite la canción hasta que solo quede un monito).*

Un monito saltaba sobre un sillón,
pero se cayó y se hizo un chichón.
Mamá llamó al doctor y él les dio un sermón:
«¡Que esos monitos se sienten en el sillón!».

# Hickory, dickory, doj

Hickory, dickory, doj,
el ratón subió al reloj.
El reloj se paró
y el ratón se bajó.
Hickory, dickory, doj.

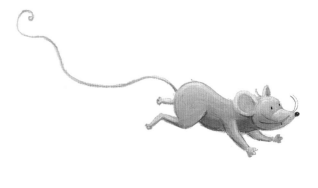

# Tres ratones ciegos

Tres ratones ciegos, tres ratones ciegos,
¡mira cómo corren, mira cómo corren!
Corren tras la esposa del granjero,
quien corta sus colas con cuchillos de carnicero.
Debo decirte que esto no son juegos,
sino tres ratones ciegos.

# Uno, dos, tres, cuatro, cinco

Uno, dos, tres, cuatro, cinco,
atrapé un pez y di un brinco.
Seis, siete, ocho, nueve, diez,
lo dejé ir otra vez.

¿Por qué lo dejaste ir de nuevo?
Porque él mordió mi dedo.
¿Qué dedo te mordió él?
El de la izquierda, mordió aquel.